My Shape Book

Mi libro de formas

SW

SOUTHWESTERN

KINGFISHER
This edition published in 2010
by the Southwestern Company
by arrangement with Kingfisher

First published as *First Shape Book* in 2002
Copyright © Kingfisher 2002

Library of Congress Cataloging-in-Publication Data has been applied for.

ISBN 978-0-7534-6386-4

Printed in China

Written by Ann Montague-Smith
Illustrated by Mandy Stanley
Spanish translation: María del Pilar Gáñez,
Dileri Johnston, Sonia Savage

Contents / Índice

Suggestions for parents / Sugerencias para los padres   4

Meet the shapes / Te presentamos las formas   6

Circles / Círculos   8

Triangles / Triángulos   10

Squares / Cuadrados   12

Rectangles / Rectángulos   14

Look again / Míralas otra vez   16

Is it curved? / ¿Es curvo?   18

Is it straight? / ¿Es recto?   20

Stars and diamonds / Estrellas y rombos   22

Ovals / Óvalos   24

Circles and semicircles / Círculos y semicírculos   26

Match the objects to the shapes / Une el objeto con la forma   28

How many sides do shapes have? / ¿Cuántos lados tienen las formas?   30

At the playground / En los juegos del parque   32

Shapes at the beach / Formas en la playa   34

Find the pairs / Encuentra las parejas   36

Spot the patterns / Descubre la secuencia   38

Look in the mirror / Mira en el espejo   40

Big and small / Grande y pequeño   42

Find the shapes at the party / ¿Qué formas ves en esta fiesta?   44

Who owns what? / ¿Quién es dueño de qué?   46

Now I know . . . / Ahora sé . . .   48

Suggestions for parents

Children soon learn that there are shapes all around them, but at first they cannot distinguish between the different shapes they see. Learning about shapes—their names, characteristics, and the similarities and differences between them—is a difficult skill to acquire. By familiarizing your child with two-dimensional shapes, this colorful and inviting book will be an invaluable aid to this process.

Very young children will enjoy browsing through the book and looking at the colorful pictures. Encourage them to talk about the shapes in the pictures, name the shapes, and ask your child to find other shapes that are similar.

When you look at this book together, make it an enjoyable experience. Ask your child to describe the shapes: Do they have curved or straight sides? How many sides do they have? Your child can compare the shapes and objects drawn on the page and match them. Encourage your child to compare the different shapes that they see so that they begin to understand that although some shapes have the same number of sides, they are not the same shape.

Learning doesn't have to stop when the book is closed! Together, look at things in your home and outside, and identify them by their shape. This book should give you plenty of ideas of what to look for. When out shopping, for example, talk about the shapes of packages. Your child will enjoy using his or her new knowledge when playing with toys, especially those that can be used for building. Talk together about the shapes that can be seen in the faces of building blocks.

Above all, remember that learning is fun!

Ann Montague-Smith.

Ann Montague-Smith, Principal Lecturer in Primary Education
University College Worcester, England

4

Sugerencias para los padres

Los niños pronto se dan cuenta de que hay formas por todos lados, pero al principio les es difícil distinguirlas. El aprendizaje de las formas—por ejemplo, sus nombres, características, diferencias y similitudes—es una habilidad difícil de adquirir. Este libro, con un diseño atractivo y a todo color, será una ayuda inestimable para familiarizar a su hijo con las formas bidimensionales.

Los más pequeños disfrutarán mucho hojeando el libro y mirando los atractivos dibujos. Anímelos a que hablen sobre las formas de los dibujos, a que las nombren y a que encuentren otras formas que sean parecidas.

Cuando mire el libro con su hijo, haga de ello una experiencia entretenida. Pídale al niño que describa las formas que ve: ¿tienen lados curvos o rectos? ¿cuántos lados tienen? El niño puede comparar las formas y los objetos que aparecen en cada página y tratar de encontrar los que son iguales. Ayúdelo también a descubrir que, aunque algunos objetos tienen el mismo número de lados, no tienen la misma forma.

Recuerde que el proceso de aprendizaje no acaba cuando se cierra el libro. Observen los objetos de la casa y el exterior e identifíquenlos según su forma. Este libro le brindará muchas ideas de qué cosas buscar. Cuando vayan de compras, por ejemplo, hablen de las formas que tienen los paquetes y envases. Su hijo podrá disfrutar de sus nuevos conocimientos al jugar con sus juguetes, sobre todo, los que puede usar para construir. Hable con él acerca de la forma que tienen las caras de los ladrillitos.

Pero, sobre todo, recuerde que aprender es muy divertido.

Ann Montague-Smith.

Ann Montague-Smith, jefa del departamento de educación primaria
University College, Worcester, Inglaterra

Meet the shapes
Te presentamos las formas

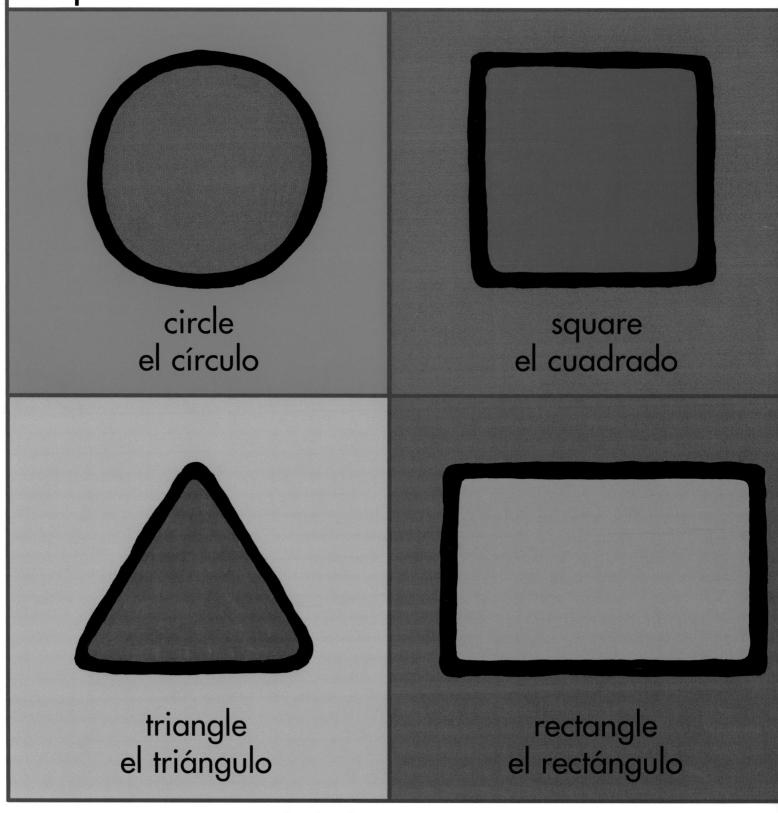

circle
el círculo

square
el cuadrado

triangle
el triángulo

rectangle
el rectángulo

Which shapes are green?
¿Cuáles de estas figuras son verdes?

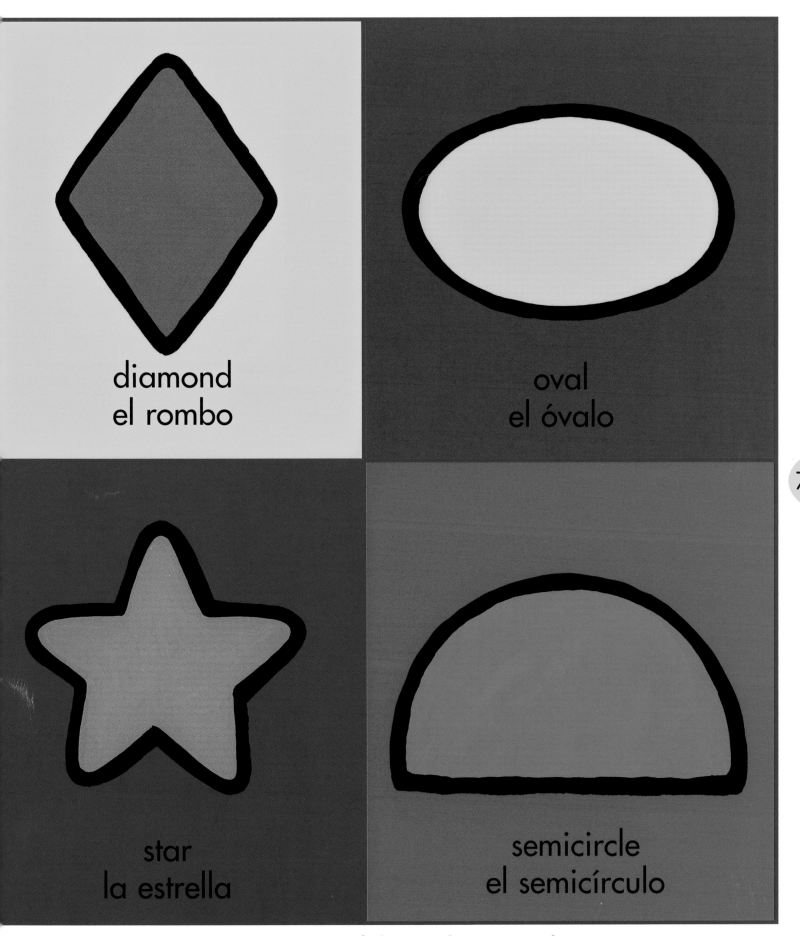

diamond
el rombo

oval
el óvalo

star
la estrella

semicircle
el semicírculo

Can you see any of these shapes at home?
¿Puedes ver algunas de estas figuras en tu casa?

Circles
Círculos

circle
el círculo

inner tube
el salvavidas

plate
el plato

wheel
la rueda

Can you draw a circle?
¿Puedes dibujar un círculo?

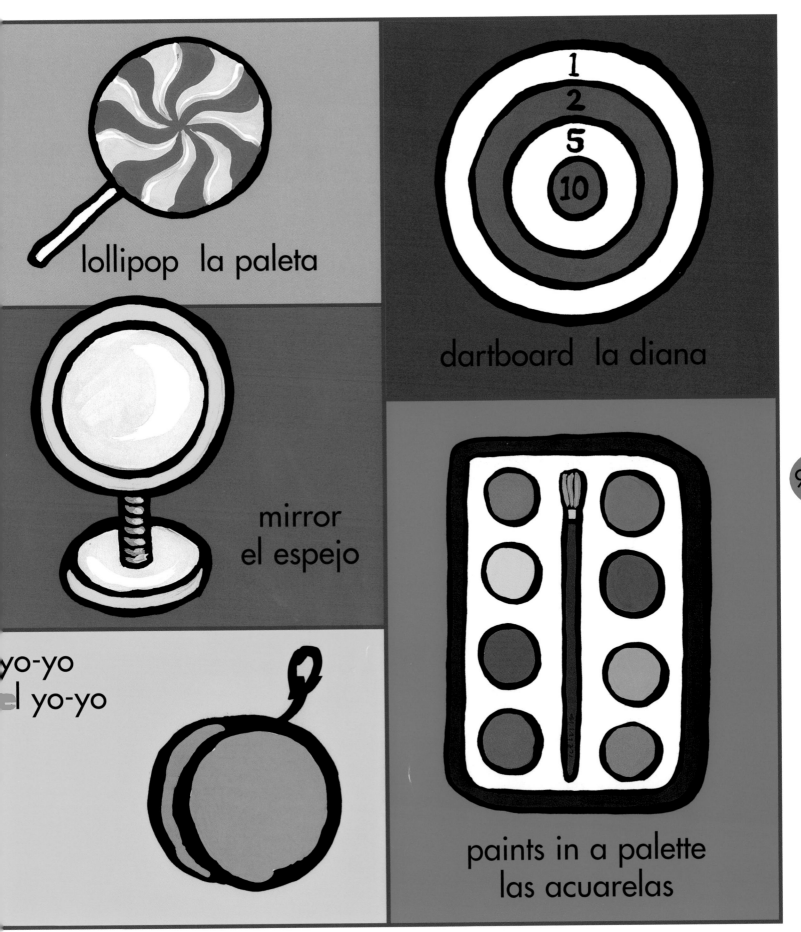

lollipop la paleta

dartboard la diana

mirror
el espejo

yo-yo
el yo-yo

paints in a palette
las acuarelas

9

How many circles can you see?
¿Cuántos círculos ves?

Triangles
Triángulos

triangle
el triángulo

sandwich
el sándwich

tent
la tienda de campaña

How many triangles can you count on the tent?
¿Cuántos triángulos ves en la tienda de campaña?

flags los banderines

dinosaur's spikes
las púas del dinosaurio

musical
triangle
el triángulo
musical

slice of pizza
una porción de pizza

Can you draw a triangle?
¿Puedes dibujar un triángulo?

Squares
Cuadrados

square
el cuadrado

Mr. Eric Fisher
123 Harbor Lane
Seatown, ME 01234

Sr. Pedro Pescador
Casa del Mar
Villa del Mar

envelope el sobre

window
la ventana

bag
la bolsa

Can you draw a square?
¿Puedes dibujar un cuadrado?

Come
to my party.
Julia

Te invito a
mi fiestita.
Julia

invitation
la invitación

gate
la puerta del jardín

1
2 3
4
5 6
7
8 9
10

hopscotch
el avión

What shape is the gate handle?
¿Qué forma tiene el picaporte de la puerta del jardín?

Rectangles
Rectángulos

rectangle el rectángulo

14

playing card
la carta

birthday card
la tarjeta de
cumpleaños

ruler
la regla

Which is the longest rectangle?
¿Cuál es el rectángulo más largo?

crackers   las galletas

bookshelf and books
el librero y los libros

television and table
la televisión y la mesa

sofa and
cushions
el sofá y
los cojínes

Can you see any squares?
¿Ves algún cuadrado?

Look again
Míralas otra vez

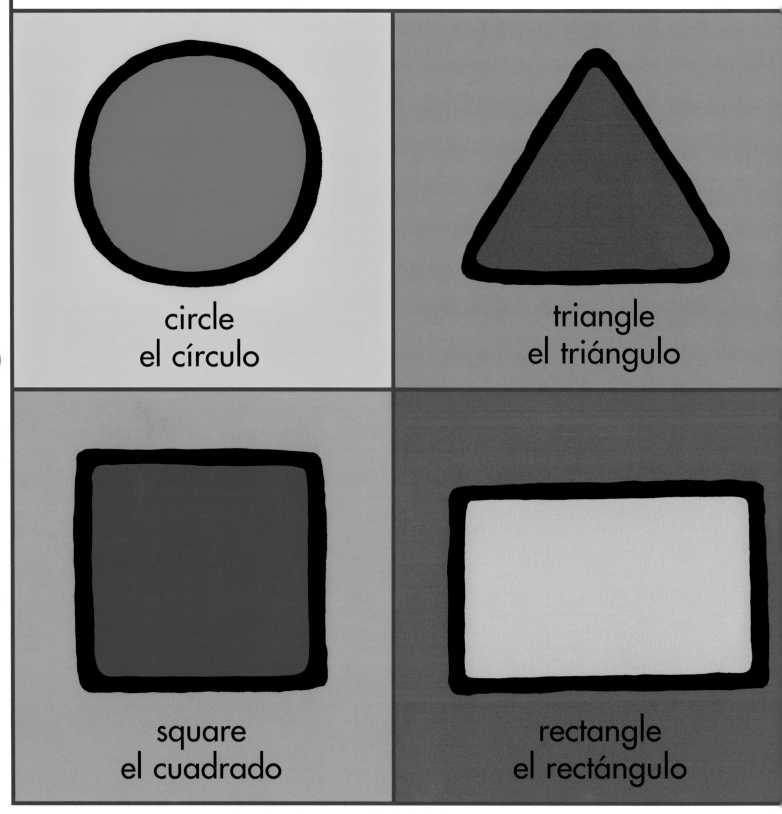

circle
el círculo

triangle
el triángulo

square
el cuadrado

rectangle
el rectángulo

Which shapes look like each other?
¿Cuáles de estas figuras se parecen?

lollipop
la paleta

boat
el bote

window   la ventana

door   la puerta

How many rectangles can you count?
¿Cuántos rectángulos puedes contar?

Is it curved?
¿Es curvo?

ball
la pelota

cat
el gato

banana
el plátano

hula hoop el aro

18

Can you trace the curves with your finger?
¿Puedes seguir las curvas con el dedo?

seahorse
el caballito de mar

gymnast
el gimnasta

snake
la serpiente

apple
la manzana

nine
el número nueve

Which other numbers have curves?
¿Qué otros números tienen curvas?

Is it straight?
¿Es recto?

pencil
el lápiz

one
el número uno

seesaw
el subibaja

ladder
la escalera

20

Which lines are straight?
¿Cuáles de estas líneas son rectas?

rake
el rastrillo

chair la silla

lightning
el rayo

Port   1 mile
Puerto   1.6 kilómetros

signpost
el letrero

clown on a unicycle
un payaso en
un monociclo

Which are the curved lines?
¿Cuáles de estas líneas son curvas?

Stars and diamonds
Estrellas y rombos

star   la estrella

star   la estrella

flag
la bandera

starfish
la estrella de mar

fairy's wand
la varita mágica

What shape is on the flag?
¿Qué figura hay en la bandera?

diamond
el rombo

kite
la cometa

scarf
la bufanda

jewels in a crown
las joyas en la corona

jockey
el jinete

23

Can you draw a kite?
¿Sabes dibujar una cometa?

Ovals
Óvalos

oval
el óvalo

picture frame
el marco

leaf
la hoja

face
la cara

Can you draw an oval?
¿Puedes dibujar un óvalo?

sink
el lavabo

hairbrush
el cepillo

pineapple
la piña

zero
el número cero

gem la joya

How many blue ovals can you see?
¿Cuántos óvalos azules ves?

Circles and semicircles
Círculos y semicírculos

lollipop
la paleta

cake
el pastel

egg yolk
la yema de huevo

watermelon
la sandía

pizza
la pizza

Which circles do you like to eat?
¿Cuáles de estos círculos te gusta comer?

half a lollipop
media paleta

half a cake
medio pastel

half an egg yolk
media yema de huevo

half a pizza
media pizza

half a watermelon
media sandía

Can you find a semicircle at home?
¿Puedes encontrar un semicírculo en tu casa?

Match the objects to the shapes
Une el objeto con la forma

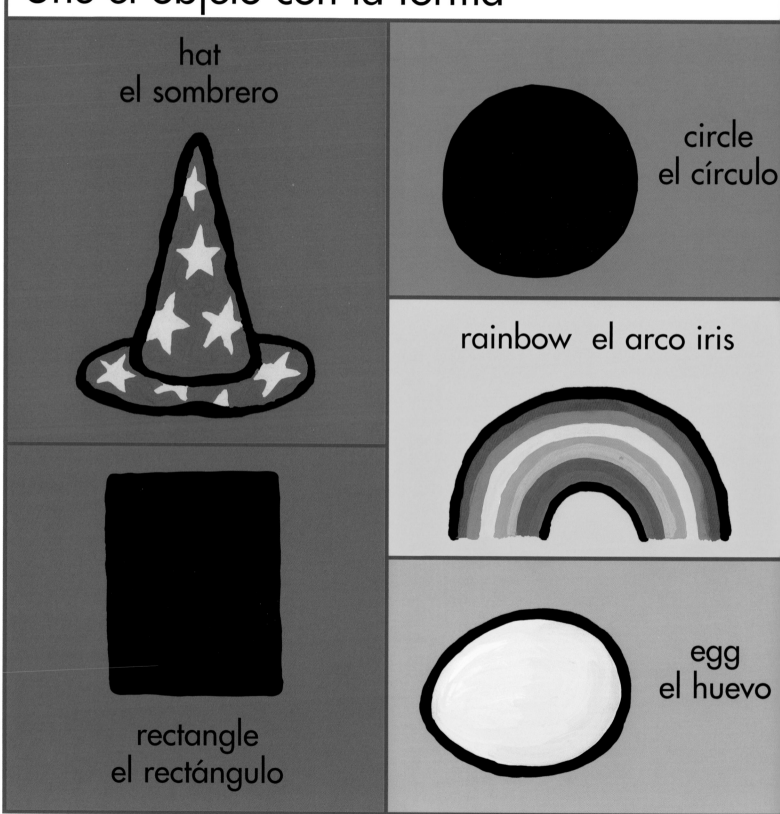

hat
el sombrero

circle
el círculo

rainbow   el arco iris

egg
el huevo

rectangle
el rectángulo

28

What shape is the egg?
¿Qué forma tiene el huevo?

semicircle
el semicírculo

oval
el óvalo

ball
la pelota

bag la bolsa

triangle el triángulo

What other things are circles?
¿Qué otras cosas tienen forma de círculo?

How many sides do shapes have?
¿Cuántos lados tienen las formas?

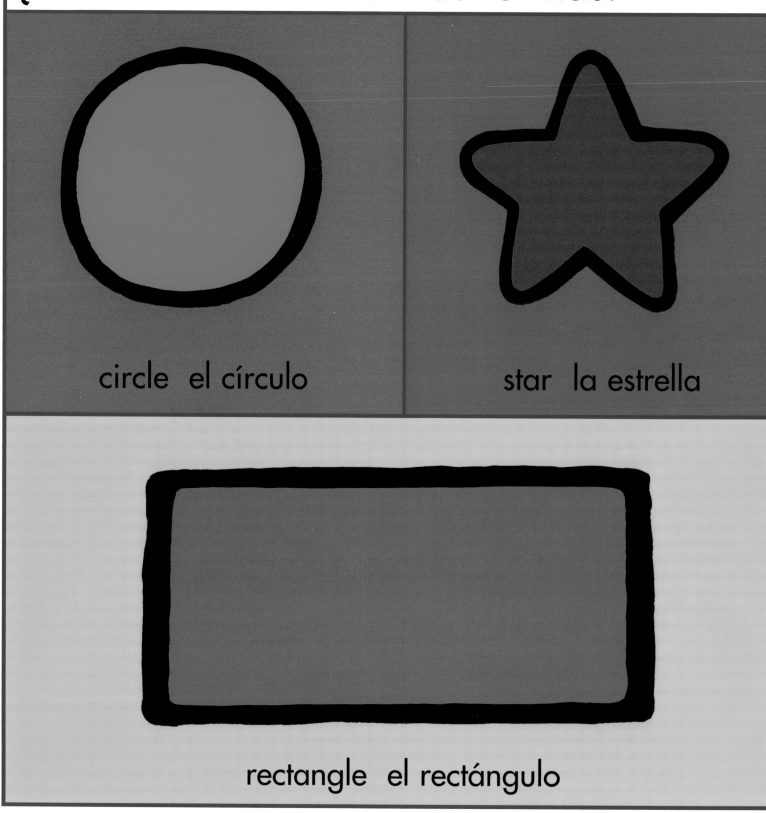

circle el círculo

star la estrella

rectangle el rectángulo

Which shapes have the same number of sides?
¿Cuáles de estas formas tienen la misma cantidad de lados?

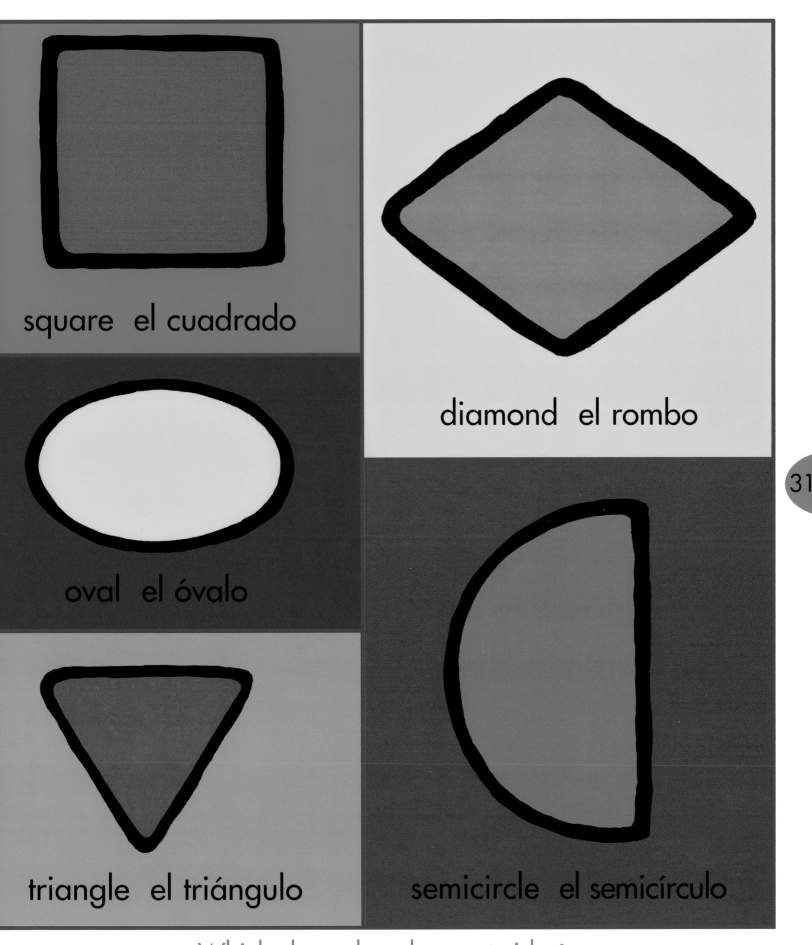

square el cuadrado

diamond el rombo

oval el óvalo

triangle el triángulo

semicircle el semicírculo

Which shape has the most sides?
¿Cuál de estas formas tiene más lados?

At the playground
En los juegos del parque

Which shapes have curved sides?
¿Cuáles de estas formas tienen lados curvos?

What other shapes can you play with?
¿Con qué otras figuras puedes jugar?

Shapes at the beach
Formas en la playa

34

flags
las banderas

ice cream
el helado

beach ball la pelota

starfish
la estrella de mar

Which shapes can you see?
¿Qué formas ves?

boat   el bote

fish   los peces

sunglasses
los lentes oscuros

35

octopus
el pulpo

pinwheels   los molinetes

How many points does the starfish have?
¿Cuántas puntas tiene la estrella de mar?

Find the pairs
Encuentra las parejas

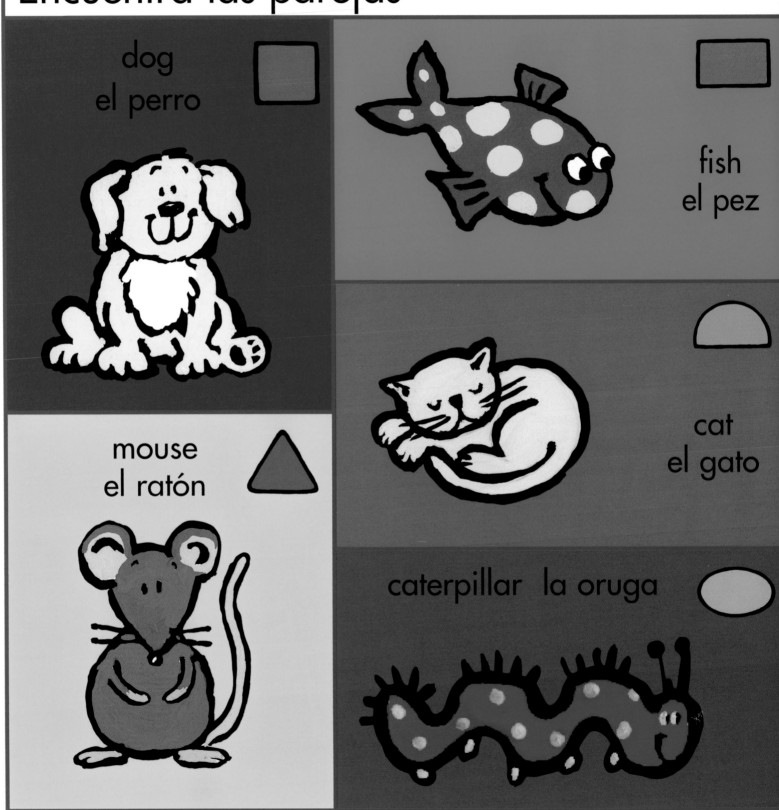

dog
el perro

fish
el pez

mouse
el ratón

cat
el gato

caterpillar   la oruga

What has each animal lost?
¿Qué perdió cada animal?

bed la cama

leaf
la hoja

cheese
el queso

tank la pecera

cushion el cojín

37

What shapes can you see in the tank?
¿Qué formas ves en la pecera?

Spot the patterns
Descubre la secuencia

What comes next in these patterns? And next?
¿Cuál es la siguiente figura en estas secuencias?

Can you make up your own pattern?
¿Puedes crear tu propia secuencia?

Look in the mirror
Mira en el espejo

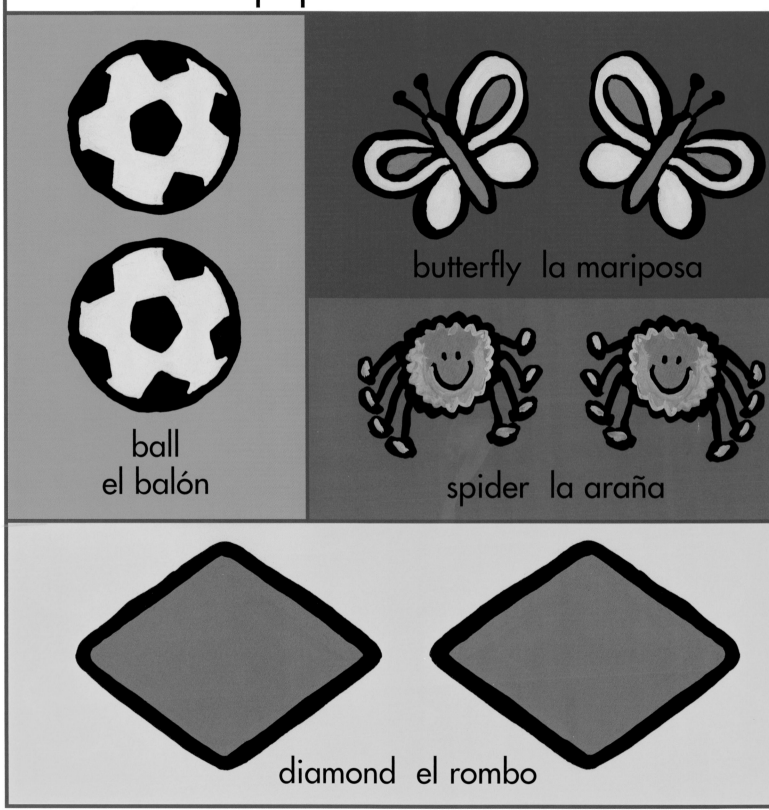

ball
el balón

butterfly la mariposa

spider la araña

diamond el rombo

Where would the mirrors be in each picture?
¿En dónde encontrarías el espejo en cada dibujo?

teddy bear
el osito de
peluche

flower la flor

puppet
el títere

41

eight el número ocho

car el coche

What do you see when you look in the mirror?
¿Qué ves cuando miras en el espejo?

Big and small
Grande y pequeño

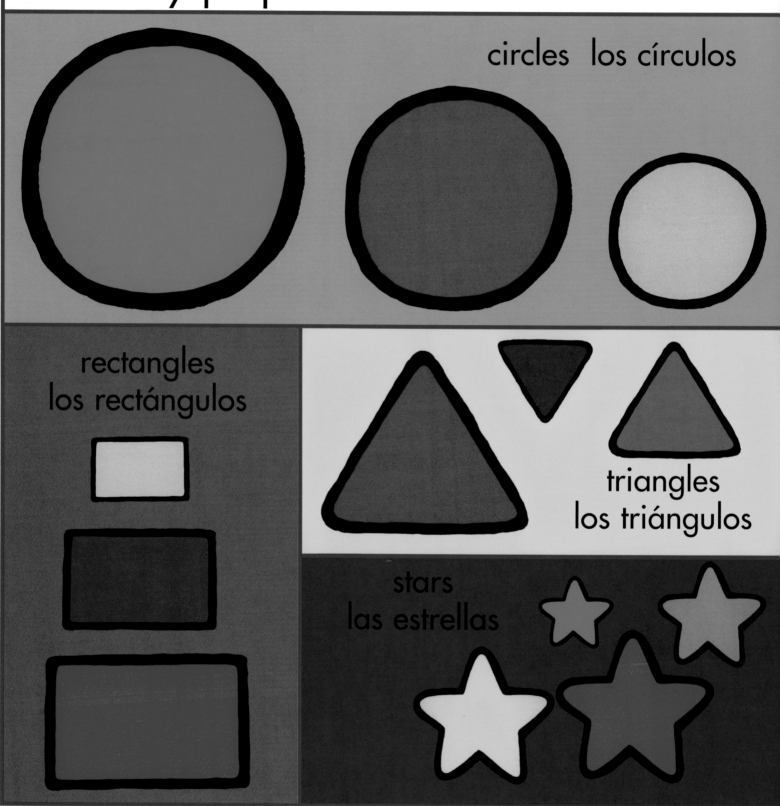

circles los círculos

rectangles
los rectángulos

triangles
los triángulos

stars
las estrellas

42

Which is the smallest star?
¿Cuál es la estrella más pequeña?

airplanes los aviones

trucks los camiones

motorcycles
las motos

roller skates
los patines

Which is the largest motorcycle?
¿Cuál es la moto más grande?

Find the shapes at the party
¿Qué formas ves en esta fiesta?

cakes   los pasteles

balloon
el globo

hat
el sombrero

drum   el tambor

44

What shapes are the cakes?
¿Qué formas tienen los pasteles?

presents los regalos

sandwiches on a plate
los sándwiches en un plato

candy los dulces

clown el payaso

How many circles can you see on the clown?
¿Cuántos círculos ves en el payaso?

Who owns what?
¿Quién es dueño de qué?

What shape does the boy in the red hat like?
¿Qué forma le gusta al niño de la gorra roja?

teddy bear
el osito de peluche

socks los calcetines

mug
la taza

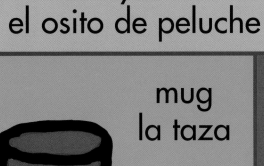

hat el sombrero

ball
la pelota

toothbrush
el cepillo de dientes

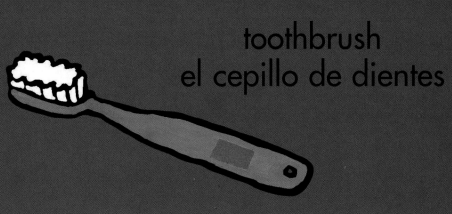

How many triangles can you count?
¿Cuántos triángulos puedes contar?

Now I know . . . / Ahora sé . . .

what circles are / qué es un círculo   8–9

what triangles are / qué es un triángulo   10–11

what squares are / qué es un cuadrado   12–13

what rectangles are / qué es un rectángulo   14–15

about all kinds of shapes / reconocer todo tipo de formas   16–17

what curved lines are / lo que son las líneas curvas   18–19

what straight lines are / lo que son las líneas rectas   20–21

what stars and diamonds are / lo que son las estrellas
    y los rombos   22–23

what ovals are / lo que son los óvalos   24–25

what semicircles are / lo que son los semicírculos   26–27

shapes by their outline / identificar las figuras por su perfil   28–29

how many sides shapes have / cuántos lados tienen
    las formas   30–31

about shapes in the playground / reconocer las formas en
    los juegos del parque   32–33

about the pointy parts of shapes / que algunas formas
    tienen puntas   34–35

shapes can solve problems / usar las formas para
    resolver problemas   36–37

what patterns are / lo que son las secuencias   38–39

about mirror images / acerca de las imágenes en el espejo   40–41

how to sort things by size / ordenar las cosas por tamaño   42–43

about shapes at parties / acerca de las formas en las fiestas   44–45

that shapes help us sort things / clasificar las cosas por
    su forma   46–47